D1097143

# *Diccionario*
# INGLÉS
## 100% VISUAL

LAROUSSE

EDICIÓN ORIGINAL:

**Dirección editorial:** Claude Nimmo
**Edición:** Giovanni Picci
**Redacción:** Émilie Bourdarot
**Diseño de maqueta:** Olivier Déduit

EDICIÓN EN ESPAÑOL:

**Dirección editorial:** Jordi Induráin Pons
**Coordinación editorial:** M.ª José Simón Aragón
**Traducción y corrección:** Cisco Figueroba Rubio
**Maquetación:** Jose M.ª Díaz de Mendívil Pérez
**Diseño de cubierta:** MOOL&CO

© Éditions Larousse

© Larousse Editorial, S.L.
Rosa Sensat, 9-11, 3.ª planta
08005 Barcelona
larousse@larousse.es / www.larousse.es
facebook.com/larousse.es - @Larousse_ESP

Primera edición: 2017

ISBN: 978-84-16641-77-2
Depósito legal: B-23623-2016
1E1I

# Sumario

## ☀ El tiempo libre                                            p.62

## 🏙 Los lugares                                               p.88

## 🍴 A la mesa      p.132

## 🐄 Los animales      p.164

## Léxico español-inglés      p.175

## Guía fonética      p.191

# 🔧 Lo esencial

**Good morning!**
[gʊd 'mɔ:nɪŋ]
¡Buenos días!

*Hi! Es un poco más familiar.*

**Hello!**
[hɛ'ləʊ]
¡Hola!

**How are you?**
[haʊ ɑ: ju:]
¿Qué tal?

*Un chiste muy conocido para empezar: Why is 6 afraid of 7? Because 7 ate 9. Ate (pretérito de eat, comer) se pronuncia como 8 (eight), así lo que se oye es 7, 8, 9.*

**I'm fine, thank you.**
[aɪm faɪn, θæŋk ju:]
Estoy bien, gracias.

**Why?**
[waɪ]
¿Por qué?

*El nombre de la letra Y se pronuncia igual.*

**Because...**
[bɪ'kɒz]
Porque...

🇬🇧 6

**Goodbye!**
[gʊd'baɪ]
¡Adiós!

También se dice *bye* o *bye-bye* en ámbitos más familiares.

**See you soon!**
[si: ju: su:n]
¡Hasta pronto!

¡Que duermas bien!
Sleep tight!

**Good evening!**
[gʊd 'i:vnɪŋ]
¡Buenas tardes!

También se puede decir *okay* o *fine*.

**Goodnight!**
['gʊdnaɪt]
¡Buenas noches!

**Excuse me!**
[ɪks'kju:s mi:]
¡Disculpe!

Excuse me, where is the post office?
Disculpe, ¿sabe dónde está correos?

**Alright.**
[ɔːl'raɪt]
¡De acuerdo!

**Please.**
[pli:z]
¡Por favor!

*En situaciones más familiares, gracias también se dice thanks o cheers.*

**Thank you!**
[θæŋk ju:]
¡Gracias!

**You're welcome!**
[juə 'wɛlkəm]
¡De nada!

*También se puede decir no problem o don't mention it.*

**Help!**
[hɛlp]
¡Socorro!

**Be careful!**
[bi: 'keəfʊl]
¡Cuidado!

*o bien Watch out!*

**Have a nice trip.**
[hæv ə naɪs trɪp]
Buen viaje.

**My name is...**
[maɪ neɪm ɪz]
Me llamo...

*What's your name?*
*My name is Paul Dupond.*
*My first name is Paul.*
*My last name is Dupond.*

**I don't understand.**
[ɪ dəʊnt ˌʌndəˈstænd]
No lo entiendo.

**Sorry!**
[ˈsɒri]
Lo siento.

*da igual, no te preocupes:*
*never mind*

**It doesn't matter.**
[ɪt dʌznt ˈmætə]
No pasa nada.

*Los principales pronombres interrogativos se llaman the five Ws: who, what, when, where, why.*

**Where?**
[weə]
¿Dónde?

**When?**
[wɛn]
¿Cuándo?

**in front of**
[ɪn frʌnt ɒv]
delante

¡Ojo!
**en** el coche
*in the car*
**en** el bus
*on the bus*

**behind**
[bɪˈhaɪnd]
detrás

**outside**
[ˌaʊtˈsaɪd]
fuera

**inside**
[ɪnˈsaɪd]
dentro

**between**
[bɪˈtwiːn]
entre

«Cerca de» se
dice *close to* o
*near. it's nearby
it's close by*
está al lado

**next to**
[nɛkst tuː]
al lado de

**on the left**
[ɒn ðə lɛft]
a la izquierda

**on the right**
[ɒn ðə raɪt]
a la derecha

*Ser de izquierdas (políticamente) se dice to be left wing y ser zurdo, to be left-handed.*

**here**
[hɪə]
aquí

**there**
[ðeə]
allí

*o bien: over there.*

*«Debajo» y «bajo» también se dicen under: under the blanket bajo las sábanas*

**above**
[əˈbʌv]
encima

**below**
[bɪˈləʊ]
debajo

# 🔧 Los verbos

**to go**
[tu: gəu]
ir

*go away!*
*vete*

**to come**
[tu: kʌm]
venir

*volar una cometa*
*to fly a kite*

**to walk**
[tu: wɔːk]
caminar

*Ojo, los objetos no funcionan en inglés, ¡trabajan! «¿Te funciona el coche?» Does your car work?*

**to run**
[tu: rʌn]
correr

**to go up**
[tu: gəu ʌp]
subir

*bajar las escaleras*
*to go down the stairs*

**to go down**
[tu: gəu daun]
bajar

**to be**
[tu: bi:]
ser

*Rico se dice rich, wealthy, well-off y muy rico, filthy rich, rolling in money.*

**to have**
[tu: hæv]
tener

*Habla por los codos. She's a chatterbox.*

**to say**
[tu: seɪ]
decir

*Ser sordo es to be deaf o to be hard of hearing.*

**to hear**
[tu: hɪə]
oír

*Make es más bien «hacer» en el sentido de «fabricar» o «construir».*

**to do**
[tu: du:]
hacer

**to see**
[tu: si:]
ver

*mirar to watch*

13

**to count**
[tu: kaʊnt]
contar

En deporte, ganar tres a cero es *win 3-nil*. En tenis es más chic, treinta a cero, por ejemplo, se dice *thirty-love*!

**zero**
[ˈzɪərəʊ]
cero

**one**
[wʌn]
uno

*To put two and two together* significa acercarse.

**two**
[tu:]
dos

**three**
[θri:]
tres

¿Echamos un pulso con los pulgares? Te declaro la guerra. *One, two, three, four, I declare a thumb war.*

**four**
[fɔ:]
cuatro

**five**
[faɪv]
cinco

*dar una bofetada a alguien*
to slap somebody

*tiene pinta de ser culpable*
He looks guilty.

**six**
[sɪks]
seis

**seven**
['sɛvn]
siete

*Blancanieves y los siete enanitos*
Snow White and the Seven Dwarfs

**eight**
[eɪt]
ocho

**nine**
[naɪn]
nueve

*Los números más felices:* to be in seventh heaven *alude a estar en el séptimo cielo y* to be on cloud nine *¡es estar en una nube!*

**ten**
[tɛn]
diez

15

# ✎ Las estaciones, los meses y los días

**spring**
[sprɪŋ]
primavera

*Early spring es el inicio de la primavera y late spring, el final.*

**March**
[maːʧ]
marzo

**April**
[ˈeɪprəl]
abril

**May**
[meɪ]
mayo

**June**
[ʤuːn]
junio

**July**
[ʤu(ː)ˈlaɪ]
julio

**August**
[ˈɔːgəst]
agosto

*Las vacaciones de verano se llaman summer holidays y, en los Estados Unidos, summer vacation.*

**summer**
[ˈsʌmə]
verano

**autumn**
[ˈɔːtəm]
otoño

*En los Estados Unidos se llama fall, ya que alude a la caída de las hojas...*

**September**
[sɛpˈtɛmbə]
septiembre

**October**
[ɒkˈtəubə]
octubre

**November**
[nəuˈvɛmbə]
noviembre

# Seasons, months and days

**winter**
['wɪntə]
invierno

*En sentido figurado, se dice de un anciano que he's reaching the winter of his life.*

**December**
[dɪˈsɛmbə]
diciembre

**January**
['dʒænjuəri]
enero

**February**
['fɛbruəri]
febrero

**Monday**
['mʌndeɪ]
lunes

*¿Se te hacen cuesta arriba los lunes por la mañana? You have the Monday blues!*

**Sunday**
['sʌndeɪ]
domingo

*Lo hago el martes que viene. I'll do it on Tuesday. Volverá antes del jueves. She'll be back by Tuesday.*

**Tuesday**
['tjuːzdeɪ]
martes

**Saturday**
['sætədeɪ]
sábado

*Y cuando se acaba la semana se dice TGIF = Thank God it's Friday: ¡por fin es viernes!*

**Wednesday**
['wɛnzdeɪ]
miércoles

**Friday**
['fraɪdeɪ]
viernes

**Thursday**
['θɜːzdeɪ]
jueves

# 🔧 El día

**dawn**
[dɔ:n]
alba

*También se dice daybreak.*

**morning**
['mɔ:nɪŋ]
mañana

**midday**
['mɪddeɪ]
mediodía

*... o noon. También es el lunchtime, la hora de comer.*

**afternoon**
['ɑ:ftə'nu:n]
tarde (aprox. 12-18 h)

*En Inglaterra, las cuatro es la hora del té: teatime.*

*Aquí vemos un hermoso cuarto creciente: crescent moon.*

**evening**
['i:vnɪŋ]
tarde (aprox. 18-22 h)

**night**
[naɪt]
noche

**to get up**
[tu: gɛt ʌp]
levantarse

 *despertarse*
*to wake up*

*Se lava los dientes.*
*She's brushing her teeth.*

**to wash**
[tu: wɒʃ]
lavarse

*Are you*
*an early bird*
*(madrugador)*
*or a night owl*
*(noctámbulo)?*

**to go home**
[tu: gəʊ həʊm]
volver a casa

*dormirse*
*to fall asleep*
*to go to sleep*

**to go out**
[tu: gəʊ aʊt]
irse

**to go to bed**
[tu: gəʊ tu: bɛd]
acostarse

**to sleep**
[tu: sli:p]
dormir

**a newborn baby**
['njuːbɔːn 'beɪbi]
recién nacido

*a crybaby
es un llorón.*

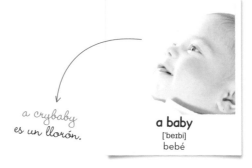

**a baby**
['beɪbi]
bebé

**a little boy**
['lɪtl bɔɪ]
niño

**a little girl**
['lɪtl gɜːl]
niña

*¡Ojo!
Woman se
transforma en
women en plural,
pero recuerda que
también la primer
sílaba se pronuncia
diferente:
¡['wɪmɪn]!*

**a young man**
[jʌŋ mæn]
chico

**a young woman**
[jʌŋ 'wʊmən]
chica

**a man**
[mæn]
hombre

*Un adulto es an adult o a grown-up.*

**a woman**
['wʊmən]
mujer

*También se dice an elderly person o a senior citizen.*

**an old person**
[əʊld 'pɜ:sn]
persona mayor

LEAVE ME ALONE

**a teenager**
['ti:n͵eɪdʒə]
adolescente

*¡Dejadme en paz!*

**a person**
['pɜ:sn]
persona

*No lo olvides, el plural de person es people: one person, two people.*

**a group**
[gru:p]
grupo

21

**grandparents**
['græn,peərənts]
abuelos

**parents**
['peərənts]
padres

*abu, yayo,*
*abuelito...*
*grandpa,*
*granddad*

**grandfather**
['grænd,fa:ðə]
abuelo

*papá*
*dad, daddy*

**father**
['fa:ðə]
padre

*abu, yaya,*
*abuelita...*
*grandma, granny*

**grandmother**
['græn,mʌðə]
abuela

*mamá*
*mum, mummy*

**mother**
['mʌðə]
madre

**son**
[sʌn]
hijo

*Son se pronuncia como sun, el sol.*

*my son and my daughter are my children*

**daughter**
['dɔːtə]
hija

*árbol genealógico family tree*

**grandson**
['grænsʌn]
nieto

*grandchildren*

**granddaughter**
['græn,dɔːtə]
nieta

*tío = uncle*

*hermanos y hermanas (sin distinción de sexo) = siblings*

*tía = aunt*

**brother**
['brʌðə]
hermano

*Hace pompas de jabón. She's blowing bubbles.*

**sister**
['sɪstə]
hermana

**married**
['mærɪd]
casado

*Lleva «una alianza»: a wedding ring.*

*y entre los dos: engaged*

**single**
['sɪŋgl]
soltero

**boyfriend**
['bɔɪ,frɛnd]
novio

*«Llamarse por teléfono» es to phone each other, to ring each other o to call each other.*

*Muchas veces se dice partner, que no especifica el sexo.*

**girlfriend**
['gɜːl,frɛnd]
novia

**husband**
['hʌzbənd]
marido

*Se han peleado. They quarrelled.*

**wife**
[waɪf]
mujer

# Other relations

**friend**
[frɛnd]
amigo

**friend**
[frɛnd]
amiga

*En los SMS se usa: BFF = Best Friends Forever*

**neighbour**
['neɪbə]
vecino

*To keep up with the Joneses, Donde va Vicente... o hacer lo mismo que los vecinos.*

**neighbour**
['neɪbə]
vecina

**colleague**
['kɒli:g]
compañero de trabajo

*También se dice co-worker o, en contextos más familiares, workmate.*

**colleague**
['kɒli:g]
compañera de trabajo

25

**primary school teacher**
['praɪməri skuːl 'tiːtʃə]
maestro

*Es muy estricta.*
*She's very strict.*

**teacher**
['tiːtʃə]
profesor

*Student también se emplea, en especial en los Estados Unidos, para aludir al alumno que va al instituto.*

**pupil**
['pjuːpl]
alumno

**student**
['stjuːdənt]
estudiante

*una tiza*
*a piece of chalk*

**board**
[bɔːd]
pizarra

*también se dice rucksack*

**backpack**
['bæk,pæk]
mochila

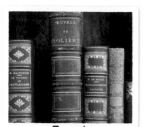

**French**
[frɛntʃ]
francés

*Por cierto, hamlet no es solo el nombre de la obra más famosa de Shakespeare, significa también «aldea».*

**English**
['ɪŋlɪʃ]
inglés

**history**
['hɪstəri]
historia

*ser bueno en mates
to be good at maths
ser malo en mates
to be bad at maths,
to be hopeless at maths*

**maths**
[mæθs]
matemáticas

**P.E.**
[piː iː]
gimnasia

*la abreviación de Physical Education*

**geography**
[dʒɪ'ɒgrəfi]
geografía

**lawyer**
['lɔ:jə]
abogado

*Si no tenemos trabajo, estamos jobless, unemployed, out of work.*

**farmer**
['fɑ:mə]
agricultor

**doctor**
['dɒktə]
médico

*También se dice physician, ¡que no debemos confundir con physicist!*

**journalist**
['dʒɜ:nəlɪst]
periodista

**plumber**
['plʌmə]
fontanero

*solicitar un empleo*
*to apply for a job*

*tener una entrevista*
*to have an interview*

**mechanic**
[mɪ'kænɪk]
mecánico

**driver**
['draɪvə]
conductor

*Aquí es más bien a policewoman. También se dice police officer (sin diferenciación de sexo).*

**policeman**
[pə'li:smən]
policía

**fireman**
['faɪəmən]
bombero

*... o firefighter*

*cuidar de alguien to nurse somebody*

**nurse**
[nɜ:s]
enfermero

*Para llamar a emergencias: 999 en el Reino Unido y 911 en los Estados Unidos.*

**worker**
['wɜ:kə]
obrero

*Aquí, se trata de un albañil, es decir a builder o a building worker.*

**vet**
[vɛt]
veterinario

29

**young**
[jʌŋ]
joven

*Jubilarse se dice to retire, que no hay que confundir con retirar dinero to withdraw money.*

**old**
[əʊld]
viejo

*los jóvenes*
*young people*

**tall**
[tɔːl]
alto

*tira y afloja*
*tug-of-war*

**short**
[ʃɔːt]
bajo

*También se puede decir slender o thin...*

*overweight o plump*

**slim**
[slɪm]
delgado

*ponerse a dieta*
*to go on a diet*

**fat**
[fæt]
gordo

**good-looking**
[gu:-'lʊkɪn]
guapo

*Una mujer hermosa es beautiful, un hombre bello es handsome. Ambos son attractive.*

**ugly**
['ʌgli]
feo

*«Feo como un pecado» se dice ugly as sin.*

**blond**
[blɒnd]
rubio

*y una morena es a brunette*

**brown**
[braun]
moreno

**red**
[rɛd]
pelirrojo

*es pelirrojo: this is a red-haired guy, he has ginger hair*

**bald**
[bɔ:ld]
calvo

**beard**
[bɪəd]
barba

*a five-o'clock shadow*
*barba de un día*

**moustache**
[məsˈtɑːʃ]
bigote

**goatee**
[gəʊˈtiː]
perilla

*Literalmente barba de chivo... por cierto el animal se llama a scapegoat.*

**freckles**
[ˈfrɛklz]
pecas

**sideburns**
[ˈsaɪdbɜːnz]
patillas

*Dimples are cute!*
*Bonitos hoyuelos.*

**dimples**
[ˈdɪmplz]
hoyuelos

*To scar es dejar una cicatriz en el cuerpo o dejar marca, en el espíritu.*

**scar**
[skɑː]
cicatriz

*si es más grande y grueso se llama mole*

**beauty spot**
['bjuːti spɒt]
lunar

*Glasses se utiliza siempre en plural. También se puede decir, en lenguaje culto, spectacles, mientras que specs se reserva para ámbitos familiares.*

**glasses**
['glɑːsɪz]
gafas

**contact lenses**
['kɒntækt 'lɛnzɪz]
lentillas

*una chica de piel clara a pale-skinned girl*

**pale skin**
[peɪl skɪn]
piel clara

*Dark skin evoca ante todo la piel oscura o negra mientras que olive skin, un bronceado de tipo mediterráneo.*

**olive skin**
['ɒlɪv skɪn]
piel morena

**shy**
[ʃaɪ]
tímido

...happy, joyful...

**cheerful**
['tʃɪəfʊl]
alegre

Once bitten twice shy.
Gato escaldado, del agua fría huye.

**talkative**
['tɔːkətɪv]
parlanchín

bizquear
to squint

**friendly**
[kɑːm]
simpático

**clever**
['klɛvə]
listo

También se dice brainy o smart.
El contrario es dim o thick as a brick, literalmente ¡«duro como un ladrillo»!

**calm**
[kâm]
tranquilo

**tidy**
[ˈtaɪdi]
ordenado

*Dos sinónimos: organised y neat.*

*¡Menudo caos! What a mess!*

**messy**
[ˈmɛsi]
desordenado

**generous**
[ˈdʒɛnərəs]
generoso

*ser tacaño, de la Virgen del Puño to be mean, to be tight-fisted*

**selfish**
[ˈsɛlfɪʃ]
egoísta

**polite**
[pəˈlaɪt]
educado

*sacar la lengua to stick out one's tongue*

**rude**
[ruːd]
maleducado

**I'm happy.**
[aɪm ˈhæpi]
Estoy contento.

*poner cara larga*
to pull a long face, to have a face like a wet weekend

**I'm sad.**
[aɪm sæd]
Estoy triste.

**I'm furious.**
[aɪm ˈfjʊərɪəs]
Estoy furioso.

*montar en cólera*
to get angry, to lose one's temper

**I'm angry.**
[aɪm ˈæŋgri]
Estoy enfadado.

**I feel good.**
[aɪ fiːl gʊd]
Estoy bien.

*She's completely snowed under!*
Está completamente desbordada.

**I'm stressed.**
[aɪm strɛst]
Estoy estresado.

**I'm tired.**
[aɪm 'taɪəd]
Estoy cansado.

*agotado*
*exhausted,*
*worn out*

*Rebosar energía*
*es to be full of*
*beans, literalmente*
*¡«estar lleno*
*de judías»!*

**I feel great.**
[aɪ fiːl greɪt]
Me siento genial.

**I'm ill.**
[aɪm ɪl]
Estoy enfermo.

*sonarse*
*to blow*
*one's nose*

**I feel fit.**
[aɪ fiːl fɪt]
Estoy en forma.

*comerse*
*las uñas*
*to bite one's nails*

**I'm feeling calm.**
[aɪm 'fiːlɪŋ kɑːm]
Estoy tranquilo.

*I haven't a care*
*in the world.*
*No tengo*
*la menor*
*preocupación.*

**I'm worried.**
[aɪm 'wʌrid]
Estoy preocupado.

**forehead**
['fɒrɪd]
frente

sudar = to sweat

a green-eyed girl
una chica de
ojos verdes

**eyes**
[aɪz]
ojos

**hair**
[heə]
cabello

Siempre en
singular, por
mucho que
lleves greñas.
Hairs es el
vello...

**nose**
[nəuz]
nariz

mentir
to lie,
to tell a lie
un mentiroso
a liar

**eyebrows**
['aɪbrauz]
cejas

arquear las cejas
to raise one's
eyebrow

**mouth**
[mauθ]
boca

**lips**
[lɪps]
labios

En los momentos
difíciles,
se puede decir
a alguien
chin up! «¡alegra
esa cara!»
o «¡arriba ese
ánimo!».

**chin**
[tʃɪn]
mentón

taparse las
orejas
to block
one's ears

**tongue**
[tʌn]
lengua

**ears**
[ɪəz]
orejas

Ojo con el
singular, se dice
a tooth.
By the skin of
one's teeth
(por la piel de
los dientes): es
una expresión
curiosa que
significa «por
los pelos».

**teeth**
[ti:θ]
dientes

perfumarse
to put
perfume on

**throat**
[θrəʊt]
garganta

# ☺ El cuerpo

**neck**
[nɛk]
cuello

to put one's neck on the line
asumir un riesgo

dar codazos para entrar en algún sitio
to elbow one's way into somewhere

**elbow**
['ɛlbəʊ]
codo

**shoulder**
['ʃəʊldə]
hombro

En sentido figurado, to shoulder something significa «asumir, cargar con algo».

**wrist**
[rɪst]
muñeca

**arm**
[ɑːm]
brazo

echar un pulso
arm wrestling

to give a hand
echar una mano

**hand**
[hænd]
mano

**finger**
['fɪŋgə]
dedo

*Finger food es el picoteo, la comida que vamos picando con los dedos: galletitas, canapés…*

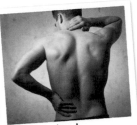

**back**
[bæk]
espalda

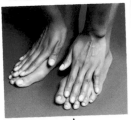

**nail**
[neɪl]
uña

*estar embarazada*
*to be pregnant*

**stomach**
['stʌmək]
vientre

**chest**
[tʃɛst]
pecho

*pintalabios*
*lipstick*

*estar desnudo*
*to be naked,*
*to be in the nude*

**breasts**
[brɛsts]
pechos

**leg**
[lɛg]
pierna

Si alguien te tira de la pierna es que te está tomando el pelo. *Stop pulling my leg* = «No me cuentes cuentos».

**toe**
[təʊ]
dedo del pie

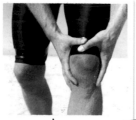

**knee**
[ni:]
rodilla

Aquí *four feet!*

¡Ojo! No se pronuncia la k.

**foot**
[fʊt]
pie

**ankle**
[ˈæŋkl]
tobillo

torcerse el tobillo
*to sprain one's ankle*

También se dice *bum* o *buttocks.*

**bottom**
[ˈbɒtəm]
trasero

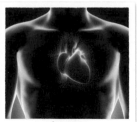

**heart**
[hɑːt]
corazón

Cross my heart, hope to die!
¡Que me caiga muerto aquí mismito!

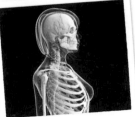

**bones**
[bəʊnz]
huesos

de carne y hueso
in the flesh

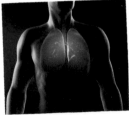

**lungs**
[lʌŋz]
pulmones

He is muscly!
¡Está cachas!

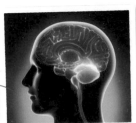

**muscles**
['mʌslz]
músculos

To sing at the top of one's lungs
es cantar a grito pelado, desgañitarse.

**stomach**
['stʌmək]
estómago

brainy
inteligente, listo

**brain**
[breɪn]
cerebro

**pain**
[peɪn]
dolor

*me provoca
náuseas
it makes me sick,
it makes me
nauseous*

**nausea**
['nɔ:sjə]
náuseas

*no pain
no gain
el que algo quiere
algo le cuesta*

**fever**
['fi:və]
fiebre

*tener fiebre
to have a fever,
to run a
temperature*

**sore throat**
[sɔ: θrəʊt]
dolor de garganta

**allergy**
['ælədʒi]
alergia

*Los ingleses no
sueltan gallos
sino que tienen
sapos en la
garganta:
she has a frog in
her throat.*

**headache**
['hɛdeɪk]
dolor de cabeza

**burn**
[bɜːn]
quemadura

**cough**
[kɒf]
tos

¡Cuidado!
Be careful!

Si alguien acaba
de estornudar
(to sneeze), dile
Bless you!

to bump into =
darse o chocar
contra algo, pero
también toparse
o tropezar con
alguien...

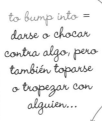

Observa la
diferencia:
I have a cold.
Estoy resfriado.
I am cold.
Tengo frío.

**cold**
[kəʊld]
resfriado

**bump**
[bʌmp]
chichón

**spot**
[spɒt]
espinilla

Break a leg!
«¡Rómpete una
pierna!» es lo
que se le dice
a alguien para
desearle buena
suerte.

**break**
[breɪk]
fractura

**pill**
[pɪl]
pastilla

*Para comprar algunos medicamentos, se necesita receta: a prescription.*

**ointment**
['ɔɪntmənt]
pomada

*la vacuna contra la gripe
flu vaccine*

*una palabra familiar para vaccine o injection: a jab*

**injection**
[ɪnˈdʒɛkʃən]
inyección

**vaccine**
['væksi:n]
vacuna

**plaster**
['plɑːstə]
tirita

*Para proteger un rasguño (a scratch) o una herida (a wound, an injury).*

**drops**
[drɒps]
gotas

**inhaler**
[ɪnˈheɪlə]
inhalador

En los Estados Unidos, se indica la temperatura en grados Fahrenheit. «El termómetro marca 38,3 ºC» se dirá *The thermometer is showing a temperature of 100.9℉.*

**thermometer**
[θəˈmɒmɪtə]
termómetro

**syrup**
[ˈsɪrəp]
jarabe

el prospecto de un medicamento: *medication label* o *medication leaflet*

**antibiotic**
[ˌæntɪbaɪˈɒtɪk]
antibiótico

tomar un medicamento *to take medication*

Ojo, en inglés la palabra *drugs* no solo hace referencia a las drogas sino también a las medicinas.

**tablet**
[ˈtæblɪt]
comprimido

**aspirin**®
[ˈæspərɪn]
aspirina®

**pants**
[pænt]
calzoncillos

Cuidado, pants en los Estados Unidos es un pantalón, el calzoncillo se llama underpants. Lógico, ¿no?

**boxers**
['bɒksəz]
bóxer

**knickers**
['nɪkəz]
braguitas

No se pronuncia la k inicial.

**bra**
[brɑ:]
sujetador

**socks**
[sɒks]
calcetines

vestirse
to get dressed,
to put one's
clothes on

desnudarse
to get undressed,
to undress,
to take one's
clothes off

**tights**
[taɪts]
medias

**dress**
[drɛs]
vestido

To dress up significa «arreglarse, ponerse elegante» pero también «disfrazarse» (lo que hacen para Halloween, vaya).

**skirt**
[skɜ:t]
falda

**shirt**
[ʃɜ:t]
camisa

Cambiarse es to get changed o to change into new clothes.

**jacket**
['ʤækɪt]
chaqueta

**pair of trousers**
[peər ɒv 'traʊzəz]
pantalones

ir de punta en blanco
to dress up, to wear one's Sunday best, to dress to kill

**suit**
[sju:t]
traje

*meterse en un charco to jump into puddles*

**boots**
[bu:ts]
botas

*también se llama waterproof coat*

**oilskin**
[ˈɔɪlskɪn]
chubasquero

*botas de agua = wellies (viene del duque de Wellington)*

**raincoat**
[ˈreɪnkəʊt]
impermeable

*Le queda perfecto. It suits him.*

**hat**
[hæt]
sombrero

*También se dice, sencillamente, pullover o, en los Estados Unidos, sweater.*

*una bonita palabra muy británica: brolly*

**jumper**
[ˈdʒʌmpə]
jersey

**umbrella**
[ʌmˈbrɛlə]
paraguas

**scarf**
[skɑːf]
bufanda

*El plural es scarves.*

**coat**
[kəʊt]
abrigo

*con un pompón es a bobble hat*

**down jacket**
[daʊn ˈdʒækɪt]
plumón

*Se escribe woolen en inglés americano.*

**woollen hat**
[ˈwʊlən hæt]
gorro de lana

*un tazón de sopa humeante a steaming bowl of soup*

**mittens**
[ˈmɪtnz]
manoplas

*a rayas = striped de lunares = polka-dotted*

**gloves**
[glʌvz]
guantes

**T-shirt**
['tiːʃɜːt]
camiseta

*también se dice*
*sleeveless shirt*

*ajustado*
*close-fitting,*
*tight*

**tank top**
[tæŋk top]
camiseta de tirantes

**jeans**
[dʒiːnz]
vaqueros

*Jeans y shorts*
*son palabras en*
*plural:*
*my shorts*
*are yellow*

**shorts**
[ʃɔːts]
pantalón corto

**mini skirt**
['mɪnɪ skɜːt]
minifalda

*La inglesa Mary*
*Quant inventó la*
*minifalda, uno de*
*los símbolos de la*
*década de 1960,*
*los Swinging*
*Sixties.*

**pareo**
['paːreɪuː]
pareo

**flip flops**
[flɪp flɒps]
chancletas

**sandals**
['sændlz]
sandalias

*llevar chanclas*
to wear
flip flops

**sunglasses**
['sʌnˌglɑːsɪz]
gafas de sol

**polo shirt**
['pəʊləʊ ʃɜːt]
polo

*llevar gafas
de sol*
to wear
sunglasses

**straw hat**
[strɔː hæt]
sombrero de paja

**cap**
['kæp]
gorra

**pyjamas**
[pə'dʒa:məz]
pijama

*también se llama nightie*

**nightdress**
['naɪtdrɛs]
camisón

*Pyjamas se emplea siempre en plural.*

**bathrobe**
['ba:θrəʊb]
albornoz

*Pero la zapatilla que usan los fontaneros para unir dos cañerías no se dice sleepers sino washer.*

**slippers**
['slɪpəz]
zapatillas

*También se llama sweatsuit, sobre todo en los Estados Unidos.*

**tracksuit**
['træks(j)u:t]
chándal

*sneakers en los Estados Unidos.*

**trainers**
['treɪnəz]
deportivas

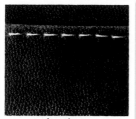

**leather**
['lɛðə]
cuero

*Y para los amantes del falso cuero, ¡tenemos el pleather!*

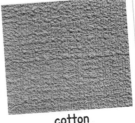

**cotton**
['kɒtn]
algodón

*tricotar*
*to knit*

**wool**
[wʊl]
lana

*un vestido de seda*
*a silk dress*

**silk**
[sɪlk]
seda

*to pull the wool over someone's eyes*
*embaucar a alguien*

**velvet**
['vɛlvɪt]
terciopelo

*mano de hierro en guante de seda*
*a fist of iron in a velvet glove*

**linen**
['lɪnɪn]
lino

**shoes**
[ʃuːz]
zapatos

zapatos de tacón
de aguja
*stiletto heels*
**zapatos de
tacón alto**
*high heels*

**belt**
[bɛlt]
cinturón

ajustarse el
cinturón
*to buckle
one's belt*

**handbag**
[ˈhændbæg]
bolso

el plural es
scarves.

**scarf**
[skaːf]
pañuelo

un ladrón
*a thief*
(thieves en plural)
robar
*to steal*

**purse**
[pɜːs]
monedero

En los Estados
Unidos, purse
es el bolso.

**wallet**
[ˈwɒlɪt]
cartera

**collar**
['kɒlə]
cuello de una prenda

*Un obrero es un blue-collar worker, mientras que un administrativo es un white-collar worker.*

**tie**
[taɪ]
corbata

*pajarita*
*bow tie*

**sleeve**
[sliːv]
manga

*arremangarse*
*to roll up one's sleeves*

*¿estás sin blanca?*
*you're out of pocket*

**pocket**
['pɒkɪt]
bolsillo

**zip**
[zɪp]
cremallera

*«no dar pie con bola»*
*to button the wrong hole,*
*to do one's buttons up the wrong way*

**button**
['bʌtn]
botón

**necklace**
['nɛklɪs]
collar

El collar que se ajusta demasiado es la gargantilla: *a choker!*

un collar de perlas
*a pearl necklace*

**watch**
[wɒtʃ]
reloj de pulsera

**bracelet**
['breɪslɪt]
pulsera

Los pendientes que no cuelgan se llaman *studs.*

**earrings**
['ɪəˌrɪŋz]
pendientes

Se dice *bangle* cuando nos referimos a brazaletes rígidos, los típicos de países asiáticos.

anillo de compromiso
*an engagement ring*

**ring**
[rɪŋ]
anillo

**brooch**
[brəʊtʃ]
broche

**gold**
[gəʊld]
oro

*En los Estados Unidos, se escribe jewelry.*

*joyero*
*a jeweller*

*joyería*
*the jewellery shop, the jeweller's*

**ruby**
[ˈruːbi]
rubí

**silver**
[ˈsɪlvə]
plata

*piedra preciosa*
*a gem, a precious stone*

*Irlanda es muy verde, por eso se le llama The Emerald Isle (la isla esmeralda).*

**sapphire**
[ˈsæfaɪə]
zafiro

**diamond**
[ˈdaɪəmənd]
diamante

*un diamante falso*
*a fake diamond*

**emerald**
[ˈɛmərəld]
esmeralda

The White House, la Casa Blanca, es la residencia del presidente de los Estados Unidos en Washington.

**white**
[waɪt]
blanco

**black**
[blæk]
negro

un ojo morado es sencillamente a black eye

to feel blue
sentirse triste

**light blue**
[laɪt bluː]
azul claro

**dark blue**
[daːk bluː]
azul oscuro

amarillento = yellowish; se puede usar la misma construcción para casi todos los colores: bluish, brownish, whitish...

**yellow**
['jɛləʊ]
amarillo

**orange**
['ɒrɪndʒ]
naranja

**pink**
[pɪŋk]
rosa

*ponerse rojo*
*to blush,*
*to go red*
*in the face*

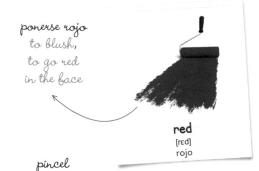

**red**
[rɛd]
rojo

*pincel*
*a brush*

**green**
[griːn]
verde

*rodillo*
*a roller*

**brown**
[braun]
marrón

*En los Estados Unidos, se escribe color en lugar de colour.*

**purple**
['pɜːpl]
violeta

*Se escribe gray en los Estados Unidos.*

**grey**
[greɪ]
gris

# ☀ El ocio

*that's my camera!*
*es mi cámara*

**photography**
[fə'tɒgrəfi]
fotografía

*Cuidado, una foto se dice a photograph y un fotógrafo es a photographer.*

**theatre**
['θɪətə]
teatro

**dance**
[dɑːns]
danza

*En inglés, al cocinero se le llama a cook, que no debe confundirse con a cooker, una cocina eléctrica o de gas.*

**cooking**
['kʊkɪŋ]
cocinar

**playing music**
['pleɪɪŋ 'mjuːzɪk]
tocar música

*Me suena a música celestial. It's music to my ears.*

**listening to music**
['lɪsnɪŋ tuː 'mjuːzɪk]
escuchar música

# Hobbies ☀

**DIY**
[di:-aɪ-waɪ]
bricolaje

*Literalmente: Do It Yourself, hazlo tú mismo.*

**painting**
['peɪntɪŋ]
pintura

*To paint the town red (pintar la ciudad de rojo) es la forma figurada con la que los ingleses se refieren a irse de parranda.*

**reading**
['ri:dɪŋ]
lectura

*leer la mente to read minds*

**gardening**
['gɑ:dnɪŋ]
jardinería

**drawing**
['drɔ:ɪŋ]
dibujo

*A hardcore gamer es un jugador empedernido. Si no juegas demasiado eres a casual gamer.*

**video games**
['vɪdɪəʊ geɪmz]
videojuegos

**doll**
[dɒl]
muñeca

Se llama así como referencia al presidente estadounidense Theodore Roosevelt, a quien le gustaba ir a cazar osos y por eso se le apodó Teddy...

**(teddy) bear**
[('tɛdi) beə]
osito de peluche

Gol = Goal! Y el que intenta pararlo, el goalkeeper.

**ball**
[bɔːl]
pelota

jugar a canicas
to play marbles

perder la chaveta
to lose one's marbles

**marbles**
['maːblz]
canicas

repartir, dar las cartas
to deal the cards

**cards**
[kaːdz]
cartas

un dado
a die

**dice**
[daɪs]
dados

**kite**
[kaɪt]
cometa

*volar
la cometa*
*to fly a kite*

**Plasticine**
['plæstɪsi:n]
plastilina

*patinar sobre
ruedas*
*to roller skate*

**roller skate**
['rəʊlə skeɪt]
patines

*juegos de mesa*
*board games*

**scooter**
['sku:tə]
patinete

**chess**
[tʃɛs]
ajedrez

*jugar a damas*
*to play draughts*

**draughts**
[drɑːfts]
damas

# ☀ Los deportes

**football**
['fʊtbɔːl]
fútbol

El fútbol se llama soccer en los Estados Unidos. Football se reserva al fútbol americano (American football), que se sitúa entre el fútbol y el rugby.

**basketball**
['baːskɪtbɔːl]
baloncesto

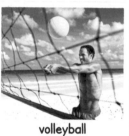

**volleyball**
['vɒlɪˌbɔːl]
voleibol

practicar deporte
to do sport,
to play sport

**baseball**
['beɪsbɔːl]
béisbol

**tennis**
['tɛnɪs]
tenis

jugar al tenis
to play tennis
jugador
de tenis
a tennis player

También se llama table tennis.

**ping pong**
[pɪŋ pɒŋ]
pimpón

**judo**
[ˈʤuːdəʊ]
judo

¿Sabes abrirte
de piernas?
to do the splits

practicar judo
to do judo

**yoga**
[ˈjəʊɡə]
yoga

hacer footing =
to go jogging.
Footing en
inglés quiere
decir «punto
de apoyo»,
«cimientos».
Nuestro
«footing»
¡es una palabra
inventada
en Francia!

**running**
[ˈrʌnɪŋ]
carrera

**jogging**
[ˈʤɒɡɪŋ]
footing

**horse riding**
[hɔːs ˈraɪdɪŋ]
equitación

practicar
equitación
to go horse
riding

patinar
sobre hielo
to do ice skating

**ice skating**
[aɪs ˈskeɪtɪŋ]
patinaje

# ☀ La piscina

**to swim**
[tu: swɪm]
nadar

*ir a bañarse*
*to go for a swim*
*tomar el sol*
*to sunbathe*

**swimming pool**
['swɪmɪŋ pu:l]
piscina

*zambullirse*
*en la piscina*
*to dive into the*
*swimming pool*

**swimming costume**
['swɪmɪŋ 'kɒstju:m]
bañador (femenino)

**swimming trunks**
['swɪmɪŋ trʌŋks]
bañador (masculino)

**flippers**
['flɪpəz]
aletas

*Flipper es*
*también la aleta*
*grande de los*
*delfines, de ahí*
*el nombre del*
*famoso delfín de*
*la serie.*

**swimming cap**
['swɪmɪŋ 'kæp]
gorro de baño

# The swimming pool

**goggles**
['gɒglz]
gafas

**mask**
[mɑ:sk]
gafas de buceo

To goggle at something significa «poner los ojos como platos, quedarse atónito», pero no te confundas y lo escribas con, dos o, lo que se repite es la g. Goggle-box es nuestra caja tonta, es decir la tele.

**breaststroke**
['brɛststrəʊk]
braza

**front crawl**
[frʌnt krɔ:l]
crol

¿Conocías la expresión to go on a pub crawl, «salir de copas»?

**backstroke**
['bækstrəʊk]
espalda

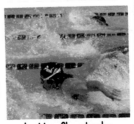

**butterfly stroke**
['bʌtəflaɪ strəʊk]
mariposa

**orchestra**
['ɔːkɪstrə]
orquesta

*director de orquesta*
*conductor*

*Y es que no debemos confundirlo con el conductor, que se llama driver.*

**microphone**
['maɪkrəfəʊn]
micrófono

**score**
[skɔː]
partitura

*tener oído musical*
*to have an ear for music*

**note**
[nəʊt]
nota

**piano**
[pɪ'ænəʊ]
piano

*tocar el piano*
*to play the piano*

**guitar**
[gɪ'tɑː]
guitarra

**trumpet**
['trʌmpɪt]
trompeta

*Soplar en su trompeta: to blow one's own trumpet es darse bombo, tirarse flores.*

**flute**
[fluːt]
flauta

*un instrumento de viento = a wind instrument*

**djembe drum**
['ʒɛmbə drʌm]
yembe

*Batería se traduce siempre por drums en plural.*

**drums**
[drʌmz]
batería

*instrumentos de cuerda = strings*

**violin**
[ˌvaɪə'lɪn]
violín

**cello**
['tʃɛləʊ]
violonchelo

**tourist**
['tʊərɪst]
turista

*hacer autoestop*
*to hitch-hike*

**suitcase**
['sjuːtkeɪs]
maleta

*Aquí es donde se entrega el equipaje.*
*to check in the luggage.*

**check-in desk**
[tʃɛk-ɪn dɛsk]
mostrador de facturación

**passport**
['paːspɔːt]
pasaporte

*Cuidado, luggage se emplea en singular: Where is my luggage? ¿Dónde están las maletas? Para decir «una maleta»: a piece of luggage o a suitcase.*

**ticket**
['tɪkɪt]
billete

**luggage trolley**
['lʌgɪdʒ 'trɒli]
carrito de equipaje

**beach**
[biːtʃ]
playa

Ojo con las palabrotas. Para evitar malentendidos, hay que pronunciar beach con una iiii más bien larga, sobre todo para evitar levantar suspicacias si hablamos con una chica.

**parasol**
[ˈpærəsɒl]
sombrilla

Fan es también abanico.

**fan**
[fæn]
ventilador

echarse crema solar
to put on sun cream

quemarse
to get sunburnt

**sun cream**
[sʌn kriːm]
crema solar

En su origen hacía referencia a la silla que se utilizaba sobre todo en la cubierta (the deck) de un barco de cruceros.

**deckchair**
[ˈdɛktʃeə]
tumbona

**beach towel**
[biːtʃ ˈtaʊəl]
toalla

**mountain**
['maʊntɪn]
montaña

*esquiar*
*to ski,*
*to go skiing*

**forest**
['forɪst]
bosque

**skiing**
['ski:ɪŋ]
esquí

*Ojo con los falsos amigos: el trineo también se llama toboggan, pero un tobogán es a slide, que procede del verbo «deslizarse», to slide.*

**sledge**
[slɛdʒ]
trineo

**ski lift**
[ski: lɪft]
telearrastre

*lift*
*ascensor*

**cable car**
['keɪbl kɑ:]
teleférico

**ski trail**
[ski: treɪl]
pista

*También se llama ski-run o, sencillamente, piste, parecido al español.*

**chalet**
[ˈʃæleɪ]
chalé

**snowboard**
[ˈsnəʊˌbɔːd]
snowboard

*practicar snowboard*
*to go snowboarding*

**skating rink**
[ˈskeɪtɪŋ rɪŋk]
pista de patinaje

*También se llama ice rink.*

**hiking boots**
[ˈhaɪkɪŋ buːts]
botas de montaña

*hacer senderismo*
*to hike, to go hiking*

**rock climbing**
[rɒk ˈklaɪmɪŋ]
escalada

*También se llama mountaineering.*

75

## Buckingham Palace

Modesta residencia de la familia real en Londres. Si ves ondear la bandera en el palacio es que la reina está en casa.

## The London Eye

Es el ojo de Londres... la gran noria que permite ver hasta 40 km a la redonda. En primer plano, el Támesis, The Thames.

## The City

El barrio más antiguo de Londres, hoy en día corazón financiero de la capital. Se pueden admirar rascacielos destacables, como The Gherkin (el pepinillo).

## Tower Bridge

Lo más reproducido en las postales. En Londres, hay trece puentes. No dejes de visitar el Millenium Bridge, mucho más moderno...

309 m

96 m

BRICK LANE E.I.

### The shard
Esta «esquirla» gigantesca, inaugurada en 2012, ofrece una de las vistas más hermosas de la capital. En primer plano, The Tower of London, donde se pueden admirar las joyas de la corona.

### Westminster
Es el parlamento británico. A la derecha, el Big Ben, que es el nombre de la campana, ¡no el del reloj!

### The British Museum
El equivalente al Prado en Londres. Entre sus tesoros encontramos la piedra Rosetta, gracias a la cual se pudieron descifrar los jeroglíficos.

### The East End
¿Te apetece un curry indio? Pues dirígete a los barrios del este de Londres. Brick Lane es el nombre de una calle que no debes perderte, ahí vas a encontrar un buen bagel las 24 horas y numerosas tiendas vintage.

## Stonehenge

Este célebre monumento megalítico fascina por su belleza y su misterio: ¿qué albergaban estas piedras gigantescas, un observatorio astronómico, un templo, un calendario...?

## Windsor Castle

Una de las residencias oficiales de la familia real. No hay que perderse el torreón, las estancias reales, la capilla de San Jorge y la casa de muñecas de la reina María, la esposa de Jorge V.

## Stratford-upon-Avon

Ciudad natal de Shakespeare, donde podemos ver su cottage y su tumba, así como asistir a una representación de la Royal Shakespeare Company.

## Hadrian's Wall

Un muro de casi 120 km de largo y 4,5 m de alto construido por el emperador romano Adriano para proteger a Inglaterra de las invasiones escocesas. Se necesitaron seis años para finalizarlo.

## Loch Ness

Para aquellos que aman los paisajes brumosos, los mitos célticos y el buen whisky, así como para tener la oportunidad de ver a Nessie, el famoso monstruo del lago.

## Giant's Causeway

La Calzada de los Gigantes. Según la leyenda, estas 40.000 columnas de basalto fueron construidas por un gigante irlandés que quería plantar cara a su «vecino» escocés.

## Roman baths, Bath

Bath, nunca mejor dicho, es famoso por sus suntuosas termas romanas. Toda la ciudad está inscrita como Patrimonio Mundial de la UNESCO.

## The White Cliffs of Dover

Los hermosos acantilados de piedra caliza blanca de Dover es lo primero que vemos al llegar a Inglaterra por mar.

**moon**
[mu:n]
luna

**cloud**
[klaud]
nube

To be over the moon significa tocar el cielo con la punta de los dedos...

Every cloud has a silver lining, cada nube tiene una sábana de plata, es la bonita manera que tienen los ingleses de decir que, después la tempestad, llega la calma.

**rain**
[reɪn]
lluvia

**wind**
[wɪnd]
viento

Todo el mundo conoce la expresión: it's raining cats and dogs (llueven perros y gatos). Pero también se puede decir it's pouring down cuando cae una tromba de agua.

**thunderstorm**
[ˈθʌndəstɔːm]
tormenta

un relámpago
a flash of lightning
a bolt of lightning

**lightning**
[ˈlaɪtɪŋ]
rayo

**fog**
[fɒg]
niebla

La nube de contaminación que se extienden sobre las grandes ciudades se llama smog, resultado de combinar smoke (humo) con fog (niebla).

**snow**
[snəʊ]
nieve

hacer un muñeco de nieve
to make a snowman

los copos de nieve
snowflakes

**storm**
[stɔːm]
tempestad

¿Una tormenta en un vaso de agua? ¡No! En Inglaterra, la tormenta se desencadena en una taza de té:
a storm in a teacup!

**hurricane**
['hʌrɪkən]
huracán

**sun**
[sʌn]
sol

¿Hace sol?
It's a beautiful day!

**rainbow**
['reɪnbəʊ]
arcoíris

81

**sunrise**
['sʌnraɪz]
amanecer

*crepúsculo*
*twilight*

**sunset**
['sʌnsɛt]
puesta de sol

**walk**
[wɔːk]
paseo

*dar un paseo*
*to go for a walk,*
*to take a stroll*

*echarse una siesta*
*to take a nap*

**nap**
[næp]
siesta

**excursion**
[ɪksˈkɜːʃən]
excursión

*En contextos*
*más familiares, se*
*dice también*
*a trip. Una*
*excursión de un*
*día es a day trip.*

**hike**
[haɪk]
senderismo

**landscape**
['lænskeɪp]
paisaje

*cascada*
*waterfall*

**valley**
['væli]
valle

*El paisaje urbano se llama townscape o cityscape.*

**plain**
[pleɪn]
llanura

*Capitol Hill es el barrio de Washington donde se encuentra el Congreso estadounidense y, por extensión, alude al propio Congreso.*

**hill**
[hɪl]
colina

**river**
['rɪvə]
río

*Se habla de riverbank para referirnos al margen de un río, mientras que lake shore es la orilla del lago.*

**lake**
[leɪk]
lago

**bouquet**
[bu(:)'keɪ]
ramo

También se llama bunch, nosegay o posy.

**rose**
[rəʊz]
rosa

No es un camino de rosas. It's no bed of roses.

**stem**
[stɛm]
tallo

Es una flor de diente de león: dandelion.

**tulip**
['tju:lɪp]
tulipán

**petal**
['pɛtl]
pétalo

El narciso es uno de los emblemas del País de Gales y los galeses lo llevan el 1 de marzo para celebrar San David (su patrón).

**daffodil**
['dæfədɪl]
narciso

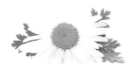

**daisy**
[ˈdeɪzi]
margarita

*to be pushing up the daisies estar criando malvas*

**lavender**
[ˈlævɪndə]
lavanda

**lily of the valley**
[ˈlɪli ɒv ðə ˈvæli]
lirio del valle

*Sin nada más, lily es el lirio. Y, si pretendemos embellecer algo que ya es perfecto, decimos to gild the lily (dorar los lirios): perfeccionar y pulir…*

**hyacinth**
[ˈhaɪəsɪnθ]
jacinto

**carnation**
[kɑːˈneɪʃən]
clavel

*Como en español, lilac se refiere también al color lila.*

**lilac**
[ˈlaɪlək]
lila

**trunk**
[trʌŋk]
tronco

*Trunk es también la trompa del elefante o el maletero del coche.*

**leaf**
[li:f]
hoja

*en plural: leaves*

**branch**
[brɑ:ntʃ]
rama

*Su fruto se llama acorn.*

**oak**
[əʊk]
roble

**root**
[ru:t]
raíz

*To be rooted in something es estar arraigado, vinculado a algo, tanto en el sentido propio como en el figurado.*

**beech**
[bi:tʃ]
haya

**fir tree**
[fɜː triː]
abeto

*Por Navidades, se convierte en a Christmas tree.*

**pine**
[paɪn]
pino

*Sus agujas se llaman needles y una piña es a pine cone.*

**birch**
[bɜːtʃ]
abedul

*plantar un árbol to plant a tree, talar un árbol to fell a tree to cut down a tree*

**poplar**
['pɒplə]
álamo

*money doesn't grow on trees el dinero no cae del cielo*

**cedar**
['siːdə]
cedro

**willow**
['wɪləʊ]
sauce

87

**roof**
[ru:f]
tejado

To hit the roof ... es perder los estribos, estallar en cólera.

**chimney**
['tʃɪmni]
chimenea

Ojo, chimney es el conducto que permite que salga el humo. Sentarse al calor de la chimenea se dice to sit by the fireplace.

**window**
['wɪndəu]
ventana

**shutters**
['ʃʌtəz]
postigos

el cristal de la ventana
the window pane

**door**
[dɔ:]
puerta

cerrar con llave
to lock the door

**key**
[ki:]
llave

**attic**
['ætɪk]
desván

*A propósito, «espeluznante» se dice frightening, scary, spooky.*

**cellar**
['sɛlə]
sótano

**wall**
[wɔ:l]
pared

*En la televisión, o en el cine, un documental que explica la vida cotidiana de las personas sin intervención ni entrevista en directo es un fly-on-the-wall documentary. Se ve la vida de las personas tal como la vería una mosca pegada a la pared.*

*estrafalario off-the-wall*

**ceiling**
['si:lɪŋ]
techo

**tiles**
[taɪlz]
baldosas

**floor**
[flɔ:]
suelo

**ground floor**
[graund flɔ:]
planta baja

*Los estadounidenses empiezan a contar a partir del first floor... Por lo tanto, su second floor es la primera planta de los ingleses.*

**floor**
[flɔ:]
piso

**stairs**
[steez]
escalera

*Stair, en singular, es el peldaño.*

**lift**
[lɪft]
ascensor

*En los Estados Unidos, se dice elevator.*

*El tramo de peldaños entre dos rellanos se llama flight of stairs.*

**corridor**
[ˈkɒrɪdɔ:]
pasillo

**landing**
[lændɪŋ]
rellano

**balcony**
['bælkəni]
balcón

*apartment en los Estados Unidos*

**terrace**
['tɛrəs]
terraza

*encender el radiador to turn the radiator on*

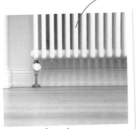

**heating**
['hi:tɪŋ]
calefacción

*Como en casa no se está en ningún sitio y no va a ser un inglés quien diga lo contrario: an Englishman's home is his castle.*

**air conditioning**
[eəkən'dɪɲ∫ənɪŋ]
aire acondicionado

**facade**
[fə'sɑːd]
fachada

*a room on the courtyard una habitación que da al patio*

**courtyard**
['kɔ:tjɑːd]
patio

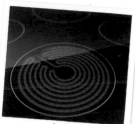

**hob**
[hɒb]
placa vitrocerámica

*También se dice hot plate.*

**washing machine**
['wɒʃɪŋ mə'ʃiːn]
lavadora

*y para secar la ropa se utiliza la tumble dryer*

*También se dice a gas burner.*

**gas ring**
[gæs rɪŋ]
fogón

**dishwasher**
['dɪʃ,wɒʃər]
lavavajillas

*«Tener un bollito en el horno» to have a bun in the oven. Una imaginativa manera de decir que se está embarazada.*

**oven**
[ˈʌvn]
horno

**toaster**
['təʊstə]
tostadora

**sink**
[sɪŋk]
fregadero

*El agua del grifo se llama tap water.*

**tap**
[tæp]
grifo

**fridge**
[frɪʤ]
nevera

*ey los congelados van al freezer*

*En Inglaterra también se llama hoover.*

**vacuum cleaner**
[ˈvækjʊəm ˈkliːnə]
aspiradora

**dustbin**
[ˈdʌstbɪn]
basura

*Los desperdicios se llaman rubbish en inglés británico y garbage o trash en inglés americano.*

*las brujas se montan en sus broomsticks*

**broom**
[brʊm]
escoba

**plate**
[pleɪt]
plato

*I have a lot on my plate.*
*Tengo muchas cosas que hacer, la agenda muy apretada.*

**glass**
[glɑ:s]
vaso

**fork**
[fɔ:k]
tenedor

*cutlery*
*los cubiertos*

*Una cucharada se dice a spoonful.*

**spoon**
[spu:n]
cuchara

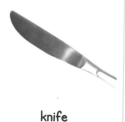

**knife**
[naɪf]
cuchillo

*Otra vez el té, y dale con el té...*

**teaspoon**
['ti:ˌspu:n]
cucharilla

# Kitchen utensils

**mug**
[mʌg]
taza

*también existe la palabra cup, pero se refiere a una taza más pequeña...*

*Jumping out of the frying pan into the fire nuestro «huir del fuego para caer en las brasas».*

**bowl**
[bəʊl]
tazón

**frying pan**
[ˈfraɪɪŋ pæn]
sartén

**saucepan**
[ˈsɔːspən]
cacerola

**kettle**
[ˈketl]
hervidor

*It's a different kettle of fish, es «harina de otro costal» o que una cosa no tiene nada que ver con la otra.*

**food processor**
[fuːd ˈprəʊsɛsə]
robot de cocina

95

**tea towel**
[tiː ˈtaʊəl]
trapo

*secar
to dry,
to wipe*

**napkin**
[ˈnæpkɪn]
servilleta

**washing-up liquid**
[ˈwɒʃɪŋ ʌp ˈlɪkwɪd]
jabón de lavavajillas

*Algunas
expresiones para
decir «lavar los
platos»: to do
the washing-up,
to wash up,
to do the dishes.*

**washing powder**
[ˈwɒʃɪŋ ˈpaʊdə]
detergente

**tin foil**
[tɪn fɔɪl]
papel de aluminio

*tin quiere decir
«hojalata», pero
el papel es de
aluminio...*

**chopping board**
[ˈtʃɒpɪŋ bɔːd]
tabla para cortar

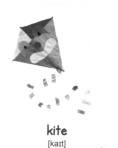

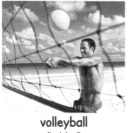

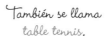

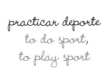

# ☀ De vacaciones en la montaña

**mountain**
['maʊntɪn]
montaña

*esquiar*
*to ski,*
*to go skiing*

**forest**
['forɪst]
bosque

**skiing**
['ski:ɪŋ]
esquí

*Ojo con los falsos amigos: el trineo también se llama toboggan, pero un tobogán es a slide, que procede del verbo «deslizarse», to slide.*

**sledge**
[slɛdʒ]
trineo

**ski lift**
[ski: lɪft]
telearrastre

*lift*
*ascensor*

**cable car**
['keɪbl kɑ:]
teleférico

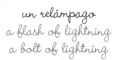

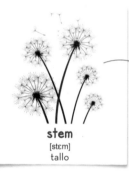

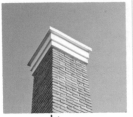

**underground**
[ˈʌndəɡraʊnd]
metro

*en plural: buses (el final se pronuncia [ɪz])*

**tram**
[træm]
tranvía

**bus**
[bʌs]
bus

*en plural: coaches (el final se pronuncia también [ɪz])*

**coach**
[kəʊtʃ]
autocar

*coger el autobús*
*to catch the bus,*
*to take the bus*

**cable car**
[ˈkeɪbl kɑː]
teleférico

*En los Estados Unidos se llama truck.*

*it fell off the back of a lorry*
*se cayó del camión*

**lorry**
[ˈlɒri]
camión

**rowing boat**
['rəʊɪŋ bəʊt]
barca

*ir en canoa*
*to canoe*

**canoe**
[kə'nu:]
canoa

*rowing*
*remo*

**windsurf board**
['wɪndˌsɜ:f bɔ:d]
tabla de windsurf

*to sail*
*navegar*

*waves*
*las olas*

**sailing boat**
[bəʊt]
velero

**boat**
['seɪlɪŋ bəʊt]
barco

*subirse*
*al barco*
*to get on a boat,*
*to board*

*bajarse*
*del barco*
*to get off a boat,*
*to land*

**ferry**
['fɛri]
ferri

**paragliding**
['pærəˌglaɪdɪn]
parapente

*un globo aerostático*
*balloon*

**hot-air balloon**
['hɒtˌeə bəˈluːn]
globo

**helicopter**
['hɛlɪkɒptə]
helicóptero

*salto en paracaídas*
*parachute jump*

**parachute**
['pærəʃuːt]
paracaídas

*subir al avión*
*to get on a plane, to board*

*bajar del avión*
*to get off a plane*

**plane**
[pleɪn]
avión

**space shuttle**
[speɪs ˈʃʌtl]
nave espacial

131

# Las comidas

**breakfast**
['brɛkfəst]
desayuno

Literalmente, el momento en el que se rompe el ayuno *break the fast*, ya que es la primera comida del día.

**afternoon tea**
['ɑ:ftə'nu:n ti:]
merienda

Lo típico es un té negro (*black tea*), con leche y azúcar, acompañado de dulces tradicionales (*muffins, scones y crumpets*).

**brunch**
[brʌntʃ]
brunch

**aperitif**
[ə'pɛrɪtɪf]
aperitivo

**lunch**
[lʌntʃ]
comida

comer
*to have lunch*

¡A comer!
*Dinner is served!*

**dinner**
['dɪnə]
cena

**I'm hungry**
[aɪm 'hʌŋgri]
tengo hambre

sed = thirst
hambre = hunger

**I'm thirsty**
[aɪm 'θɜ:sti]
tengo sed

all-you-can-eat
bufé libre

**to eat**
[tu: i:t]
comer

Eat, drink and be merry!
¡A vivir, que son dos días!
(literalmente «come, bebe y sé feliz»)

**to drink**
[tu: drɪŋk]
beber

... del nombre del conde de Sandwich, que estaba tan enganchado a los juegos de cartas que un día pidió a sus sirvientas que le sirvieran una comida con la que pudiera comer sin interrumpir una partida. Y le sirvieron un trozo de carne entre dos rebanadas de pan...

**sandwich**
['sænwɪdʒ]
bocadillo

**picnic**
['pɪknɪk]
pícnic

**coffee**
['kɒfi]
café

café solo
*black coffee* café
con leche
*white coffee*

azúcar moreno *brown sugar*

**sugar**
['ʃʊgə]
azúcar

*Para quienes
están a dieta:*
sweetener
edulcorante

terrón de azúcar
*a sugar cube*

**tea**
[ti:]
té

*mermelada
de naranja:*
marmalade

**jam**
[dʒæm]
mermelada

**butter**
['bʌtə]
mantequilla

*mi sustento*
my bread and
butter

*Es también
una manera
cariñosa de decir
«cariño».*

**honey**
['hʌni]
miel

**cereal**
['sɪərɪəl]
cereales

se utiliza tal cual,
en singular

un huevo duro
hard-boiled egg
un huevo pasado
por agua
soft-boiled egg
un huevo frito
fried egg,
sunny-side up egg
(literalmente,
un huevo con
la parte soleada
hacia arriba)

**hot chocolate**
[hɒt 'tʃɒkəlɪt]
chocolate caliente

**egg**
[ɛg]
huevo

¡Cuidado!
«una tostada» =
a slice of toast!

**toast**
[təʊst]
pan tostado

**croissant**
['krwɑːsɒn]
cruasán

Una de las
palabras
preferidas para
sacarnos con una
sonrisa en las
fotos, es el
equivalente de
nuestro «siiiii».

**cheese**
[tʃiːz]
queso

135

**lamb**
[læm]
cordero

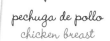

pechuga de pollo
chicken breast

**chicken**
['tʃɪkɪn]
pollo

rib-eye
entrecot
sirloin
solomillo
rump steak
bistec de ternera

**beef**
[bi:f]
carne de vacuno

to be beefy
estar corpulento,
estar cachas

**pork**
[pɔːk]
cerdo

**duck**
[dʌk]
pato

una costilla de
cerdo
a pork chop

cada vez más
popular en
Inglaterra...

**rabbit**
['ræbɪt]
conejo

**ham**
[hæm]
jamón

*También se llama roast.*

**joint**
[dʒɔɪnt]
asado

**stew**
[stju:]
estofado

*... o mincemeat. Pero cuidado, Mincemeat es también el nombre de la mezcla de frutos secos que encontramos en los mince pies, esos pasteles dulces que se sirven por Navidad y que en su origen contenían carne.*

**mince**
[mɪns]
carne picada

**sausage**
['sɒsɪdʒ]
salchicha

*Las bolitas sin carne se llaman dumplings.*

**meatballs**
['mi:tbɔ:lz]
albóndigas

# 🍴 El pescado

**herring**
['hɛrɪŋ]
arenque

*a red herring
una pista falsa,
maniobra de
distracción*

**trout**
[traut]
trucha

*pescar trucha
to fish for trout*

**tuna**
['tu:nə]
atún

*El nombre de
este pescado
procede de su
apariencia y es
que recuerda
(vagamente)
a un monje
(monk).*

**monkfish**
[mʌŋk fɪʃ]
rape

**salmon**
['sæmən]
salmón

*Salmon es
invariable:
two salmon.*

*smoked salmon
salmón ahumado*

**red mullet**
[rɛd 'mʌlɪt]
salmonete

x

z

y

x

**sea bream**
[si: bri:m]
dorada

¡Ojo! fish es
invariable.

**bar**
[bɑ:]
lubina

un banco de
sardinas
a school of
sardines

**sardine**
[sɑːˈdiːn]
sardina

la raspa
del pescado
fishbone

**sole**
[səʊl]
lenguado

**eel**
[i:l]
anguila

En otras épocas,
en el este de
Londres se
comía gelatina de
anguilas: jellied
eels. Se vendía
con un pie and
mash, pastel de
carne con puré
de patata.

**cod**
[kɒd]
bacalao

**octopus**
['ɒktəpəs]
pulpo

*shellfish*
*marisco*
*(shell = concha)*

**squid**
[skwɪd]
calamar

*Scallop es*
*también el nombre*
*de la escalopa.*

**mussel**
['mʌsl]
mejillón

*to clam up*
*cerrar el pico*

**scallop**
['skɒləp]
vieira

*perla = pearl*

*the world's*
*your oyster*
*ponerse el mundo*
*por montera,*
*comerse el mundo*

**clam**
[klæm]
almeja

**oyster**
['ɔɪstə]
ostra

**sea urchin**
[si: 'ɜ:tʃɪn]
erizo de mar

Urchin es una forma (un tanto pasada de moda) de llamar a los niños. Por lo tanto, el erizo de mar es el niño de los mares.

**prawn**
[prɔ:n]
gamba

También se dice shrimp.

**lobster**
['lɒbstə]
bogavante

claw
pinza

red like a lobster
rojo como una gamba

**crayfish**
['kreɪfɪʃ]
cangrejo de río

**langoustine**
['lɒŋɡʊsti:n]
cigala

Crab es también cáncer, el signo del zodiaco.

**crab**
[kræb]
cangrejo

**fried**
[fraɪd]
frito

¿Con qué se fríe mejor?
a frying pan
con una sartén
o
a deep-fat fryer
una freidora

**grilled**
[grɪld]
asado

**rare**
[reə]
poco hecho

En contextos familiares podemos decir también bloody. Pero nunca hay que pedir un a bloody steak (¡suena vulgar!), es mejor decir I'd like my steak bloody.

**medium rare**
['miːdjəm reə]
al punto

¡Qué bueno!
It tastes good!
It's delicious!

**good**
[gʊd]
bueno

¡Qué malo!
It tastes awful!

**bad**
[bæd]
malo

# Ways of cooking and tastes

**sweet**
[swiːt]
dulce

¡Está demasiado
dulce!
It's too sweet!
It's too sugary!

**salty**
[ˈsɔːlti]
salado

**acidic**
[əˈsɪdɪk]
ácido

to the bitter end
hasta las últimas
consecuencias

**bitter**
[ˈbɪtə]
amargo

sweet-and-sour
agridulce

sour milk
leche agria

**sour**
[ˈsaʊə]
agrio

También se dice
spiced o hot si es
un plato muy
picante.

**spicy**
[ˈspaɪsi]
picante

**potato**
[pəˈteɪtəʊ]
patata

*A hot potato es una patata caliente, un problema que se traslada a otro...*

**green bean**
[griːn biːn]
judía verde

**carrot**
[ˈkærət]
zanahoria

*verdura cruda raw vegetables*

**cabbage**
[ˈkæbɪʤ]
col

*es un símbolo del País de Gales*

**leek**
[liːk]
puerro

*Se la llama eggplant en los Estados Unidos.*

**aubergine**
[ˈəʊbəʤiːn]
berenjena

**spinach**
['spɪnɪʤ]
espinacas

Siempre se emplea spinach en singular.

**courgette**
[kʊəˈʒɛt]
calabacín

En los Estados Unidos se llama zucchini.

**lettuce**
['lɛtɪs]
lechuga

pelar un tomate
to peel a tomato
Ojo con el plural: tomatoes.

**tomato**
[təˈmɑːtəʊ]
tomate

Más vale especificar el color, por ejemplo red pepper, o nos podemos confundir con la pimienta, que también se dice pepper.

**artichoke**
['ɑːtʃəʊk]
alcachofa

**pepper**
['pɛpə]
pimiento

# Cereales y legumbres

**wheat**
[wi:t]
trigo

*Se pronuncia exactamente igual que flower, la flor.*

**flour**
['flauə]
harina

**pasta**
['pæstə]
pasta

*¡Qué ricos están estos espaguetis! This spaghetti is good!*

**rice**
[raɪs]
arroz

**lentils**
['lentɪlz]
lentejas

*to spill the beans (literalmente «esparcir las judías») = descubrirse el pastel*

**bean**
[bi:n]
judía

**pea**
[piː]
guisante

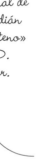

*The Catcher in the Rye es el título original de «El guardián entre el centeno» de J. D. Salinger.*

**chickpea**
[ˈtʃɪkpiː]
garbanzos

**oats**
[əʊts]
avena

*Oats se emplea siempre en plural.*

**rye**
[raɪ]
centeno

**corn**
[kɔːn]
maíz

*En los Estados Unidos se dice maize.*

**barley**
[ˈbɑːli]
cebada

147

**apple**
['æpl]
manzana

*Es la niña de mis ojos. He is the apple of my eye.*

**orange**
['ɒrɪndʒ]
naranja

**pear**
[peə]
pera

*to go bananas = perder la cabeza o volverse majara*

**banana**
[bə'nɑːnə]
plátano

*Kiwi es el sobrenombre que se da a los neozelandeses.*

*Strawberries and cream (fresas con nata) es el postre preferido de los ingleses en verano, sobre todo durante el torneo de Wimbledon...*

**strawberry**
['strɔːbəri]
fresa

**kiwi**
['kiːwiː]
kiwi

*Como mucha fruta.*
I eat a lot of fruit.

*Para referirse a distintos tipos de fruta se utiliza el plural.*
Which fruits do you like?
*¿Qué fruta te gusta más?*

**peach**
[piːtʃ]
melocotón

**apricot**
['eɪprɪkɒt]
albaricoque

**cherry**
['tʃɛri]
cereza

*to cherry-pick escoger cuidadosamente (los buenos recolectores de cerezas solo cogen las más hermosas y maduras)*

**raspberry**
['rɑːzbəri]
frambuesa

**lemon**
['lɛmən]
limón

*un racimo de uvas*
a bunch of grapes

*una uva*
a grape

**grapes**
[greɪps]
uva

# 🍴 La fruta

**lychee**
['lʌɪtʃiː]
lichi

**pomegranate**
['pɒmˌgrænɪt]
granada

¡Cuidado! La palabra *grenade* existe también en inglés pero se refiere únicamente al artefacto explosivo.

**watermelon**
['wɔːtəˌmɛlən]
sandía

**melon**
['mɛlən]
melón

*prickly*
cubierto de espinas

**persimmon**
[pɜːˈsɪmən]
caqui

*también sharon fruit*

**prickly pear**
['prɪkli peə]
higo chumbo

**fig**
[fɪg]
higo

*a fig leaf es una hoja de la higuera y, en sentido figurado, un camuflaje...*

**blueberry**
['bluːbəri]
arándano

**mango**
['mæŋɡəʊ]
mango

*exotic fruits
fruta
exótica*

**clementine**
['klɛm(ə)ntʌɪn]
clementina

*grapefruit
pomelo
lime
lima*

**pineapple**
['paɪnˌæpl]
piña

*Las moras o zarzamoras, el fruto de la zarza, son las blackberries y las del árbol del moral, las mulberries.*

**blackberry**
['blækbəri]
mora

151

**hazelnut**
['heɪzlnʌt]
avellana

*Un fruto seco que cuesta abrir, a hard nut to crack, es un problema difícil de resolver.*

**pistachio**
[pɪsˈtɑːʃɪəʊ]
pistacho

*un nogal
a walnut tree
Se pueden formar del mismo modo todos los nombres de árboles que producen frutos o frutos secos.*

**walnut**
['wɔːlnʌt]
nuez

**cashew nut**
[kæˈʃuː nʌt]
anacardo

*ojos almendrados
almond-shaped eyes*

**almond**
['ɑːmənd]
almendra

*También se les llama currants cuando aluden a las pasas de Corinto. No deben confundirse con las uvas, que se dicen grapes.*

**raisins**
['reɪznz]
uva pasa

**macadamia nut**
[makə'deɪmɪə nʌt]
nuez de macadamia

*to be nuts*
*estar pirado*

*He's a tennis nut.*
*Le vuelve loco*
*el tenis.*

**coconut**
['kəʊkənʌt]
coco

*coco rallado*
*grated coconut*

**date**
[deɪt]
dátil

**pine nut**
[paɪn nʌt]
piñón

*La ciruela*
*se llama plum.*

**prune**
[pru:n]
ciruela pasa

*También es una*
*baya (berry).*

**goji berry**
['gəʊdʒi 'bɛri]
baya de goji

# Los condimentos

**salt**
[sɔːlt]
sal

pimienta molida
ground pepper

**pepper**
['pɛpə]
pimienta

Salado se dice salty o salted. Se utiliza savoury en la oposición salado-dulce. Me gustan las crepes saladas. I like savoury pancakes.

**oil**
[ɔɪl]
aceite

A los ingleses les gusta comer pickles, unos encurtidos marinados en vinagre.

**vinegar**
['vɪnɪgə]
vinagre

vinagreta
salad dressing

**mustard**
['mʌstəd]
mostaza

La mostaza inglesa (English mustard) es bastante diferente de la que se come en España: ¡mucho más picante!

**balsamic vinegar**
[bɔːl'sæmɪk 'vɪnɪgə]
vinagre balsámico

**garlic**
['gɑːlɪk]
ajo

*un diente de ajo*
*a clove of garlic*
*una cabeza de ajo*
*a bulb of garlic*

**onion**
['ʌnjən]
cebolla

*He knows his onions.*
*Sabe mucho.*

**celery**
['sɛləri]
apio

**chilli**
['tʃɪli]
guindilla

*echar sal a la vida*
*to spice up one's life*

**gherkins**
['gɜːkɪnz]
pepinillos

*aceitunas sin hueso*
*pitted olives*

**olives**
['ɒlɪvz]
aceitunas

**parsley**
['pɑːslɪ]
perejil

*cultivar hierbas*
*to grow herbs*

**coriander**
[ˌkɒrɪˈændə]
cilantro

*semillas de*
*cilantro*
*coriander seeds*

**tarragon**
['tærəgən]
estragón

*Se utiliza*
*en general en*
*plural, «cebolleta*
*bien picada» es*
*finely-chopped*
*chives.*

**chives**
[tʃaɪvz]
cebolleta

**mint**
[mɪnt]
menta

*in mint condition*
*en perfecto*
*estado, fresco*
*como una rosa*

**thyme**
[taɪm]
tomillo

**bay leaf**
[beɪ liːf]
laurel

*lo dicen igual que nosotros, laurel, en casos como laurel wreath, corona de laurel*

**sage**
[seɪdʒ]
salvia

*En lenguaje literario sage quiere decir también «sabio», pero como es tan culto los ingleses usan más bien wise.*

**basil**
['bæzl]
albahaca

**oregano**
[ˌɒrɪ'gaːnəʊ]
orégano

**rosemary**
['rəʊzməri]
romero

*Rosemary es también un nombre de pila en inglés, aunque ya está un tanto pasado de moda...*

**dill**
[dɪl]
eneldo

# Los postres

**cake**
[keɪk]
pastel

It's a piece
of cake!
¡Es pan comido!

**biscuit**
['bɪskɪt]
galleta

**pancake**
['pænkeɪk]
crep

Las crepes pueden
ser de tipo francés,
finas, o más
gruesas, como las
americanas, y se
suelen servir con
sirope de arce y
beicon para
desayunar.

**brioche**
[bri:'ɒʃ]
bollo

**tart**
[tɑ:t]
tarta

bun =
bollito dulce,
brioche

¿Cuál es la
diferencia entre tart
y pie? La tart está
descubierta mientras
que el pie no.

**choux bun**
['ʃu: bʌn]
lionesa

**crème caramel**
[krɛm ˈkæərəmɛl]
flan

crema inglesa
custard
(la custard es
más espesa que
unas natillas)

**French pastry cream**
[frɛntʃ ˈpeɪstri kriːm]
crema pastelera

**chocolate mousse**
[ˈtʃɒkəlɪt muːs]
mousse de chocolate

También se dice
fruit purée.

una bola de
helado
a scoop
un cucurucho
a cone

**compote**
[ˈkɒmpɒt]
compota

**ice cream**
[aɪs kriːm]
helado

literalmente
«nata batida»

**whipped cream**
[wɪpt kriːm]
nata montada

# Las bebidas

**mineral water**
['mɪnərəl 'wɔːtə]
agua mineral

*leche entera*
*whole milk*
*leche desnatada*
*skimmed milk*
*(o fat-free milk en*
*los EE. UU.)*

**milk**
[mɪlk]
leche

*También se dice*
*pop y, en los*
*Estados Unidos,*
*soda.*

**fizzy drink**
['fɪzi drɪŋk]
refresco

*¿Va a tomar*
*zumo de fruta?*
*Would you like*
*some fruit juice?*

**fruit juice**
[fruːt dʒuːs]
zumo de fruta

**herbal tea**
['hɜːbəl tiː]
infusión

*También se dice*
*infusion.*

**freshly squeezed**
**orange juice**
['frɛʃli skwiːzd 'ɒrɪndʒ dʒuːs]
zumo de naranja recién exprimido

**alcohol**
['ælkəhɒl]
alcohol

*liquor*
*bebidas*
*alcohólicas*

**liqueur**
[lɪˈkjʊə]
licor

*una lata de*
*cerveza*
*a beer can*

**beer**
[bɪə]
cerveza

*Ojo, en los*
*Estados Unidos,*
*cider es el zumo*
*de manzana (sin*
*alcohol) y hard*
*cider es la sidra.*

**cider**
['saɪdə]
sidra

**wine**
[waɪn]
vino

*to wine and dine*
*somebody invitar*
*a alguien a*
*comer o, de modo*
*más general,*
*hacerle la rosca*
*(a menudo para*
*obtener algo...)*

**cocktail**
['kɒkteɪl]
cóctel

**breakfast**
[ˈbrɛkfəst]
el desayuno inglés

Completamente diferente a nuestros desayunos: con huevos, salchichas, judías, champiñones, beicon... También se le llama full English breakfast.

**fish and chips**
[fɪʃ ænd tʃɪps]
pescado con patatas

**tea time**
[ti: taɪm]
la hora del té

carne asada con patatas al horno, verdura, salsa (gravy) y los Yorkshire puddings (especie de volovanes)

**Sunday roast**
[ˈsʌndeɪ rəʊst]
el asado del domingo

**steak and kidney pie**
[steɪk ænd ˈkɪdni paɪ]
pastel de carne

con ternera y riñones

con carne de cordero...
el cottage pie es lo mismo, pero con carne de ternera

**shepherd's pie**
[ˈʃɛpədz paɪ]
pastel de carne y puré de patatas

**stew**
[stju:]
estofado

el «cocido» británico, con carne, zanahoria, maíz, nabos y a veces dumplings (empanadillas de masa)

**chicken tikka masala**
['tʃɪkɪn ˌti:kə mə'sa:lə]
pollo tikka masala

¡verde o rosa!

lo inventó ya en Inglaterra un inmigrante indio y es el plato preferido de los ingleses

**jelly**
['dʒɛli]
gelatina de fruta

**trifle**
['traɪfl]
bizcocho con fruta y crema

fruta (manzanas, ciruelas o frutos rojos) recubierto de masa sablé

**crumble**
['krʌmbl]
crumble

se hace al vapor y se prepara con mucha antelación, a base de frutos secos, confitados y grasa de riñón

**Christmas pudding**
['krɪsməs 'pʊdɪŋ]
pastel de Navidad

**cat**
[kæt]
gato

En sentido literal, ¡es un cerdito (hog) que vive en los setos (hedges)!

**hedgehog**
['hɛdʒhɒg]
erizo

**dog**
[dɒg]
perro

at a snail's pace
a paso de tortuga
[un ligero cambio de animal]

**snail**
[sneɪl]
caracol

**rabbit**
['ræbɪt]
conejo

Los niños lo llaman bunny rabbit.

**mouse**
[maʊs]
ratón

**cow**
[kaʊ]
vaca

En inglés, el quiquiriquí es un cock-a-doodle-doo!

**cock**
[kɒk]
gallo

When pigs can fly es el equivalente a «cuando las ranas críen pelo».

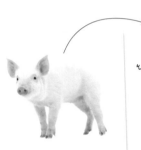

**pig**
[pɪg]
cerdo

**duck**
[dʌk]
pato

En inglés, el pato hace quack! quack!

relinchar = to neigh

**horse**
[hoːs]
caballo

Sheep no adopta una s en el plural.

**sheep**
[ʃiːp]
oveja

un rollo de
queso
de cabra
a log of
goat's cheese

**donkey**
['dɒŋki]
asno

**goat**
[gəʊt]
cabra

¡Ojo!
en inglés se
escribe con
g y
dos f.

**zebra**
['zi:brə]
cebra

**giraffe**
[dʒɪ'ra:f]
jirafa

En los Estados
Unidos,
encontramos
muchos
chipmunks,
ardillitas rojas a
menudo con rayas.
Es la especie a la
que pertenecen los
personajes de
Disney Chip y
Chop (Chip and
Dale en inglés).

**squirrel**
['skwɪrəl]
ardilla

**marmot**
['ma:mət]
marmota

**bear**
[beə]
oso

*un osezno*
*a bear cub*

*polar bear*
*oso polar*

**panda**
['pændə]
panda

*astuto como*
*un zorro*
*sly as a fox*
*Cuidado, el*
*plural de fox*
*es foxes.*

**fox**
[fɒks]
zorro

*una manada de lobos*
*a pack of wolves*

**wolf**
[wʊlf]
lobo

**wild boar**
[waɪld bɔ:]
jabalí

*hocico*
*snout*

**stag**
[stæg]
ciervo

*Formar un cocodrilo es ponerse en fila de a dos:*
*Form yourselves into a crocodile, please, children!*

**crocodile**
['krɒkədaɪl]
cocodrilo

**rhinoceros**
[raɪ'nɒsərəs]
rinoceronte

*to monkey around*
*hacer el mono, tal cual*

**monkey**
['mʌŋki]
mono

*desplazarse a lomos de un elefante*
*to ride an elephant*

**elephant**
['ɛlɪfənt]
elefante

**tiger**
['taɪɡə]
tigre

*los grandes felinos*
*the big cats*

**lion**
['laɪən]
león

I had a whale of a time!
¡Lo pasé bomba!

El título original de la película de Spielberg «Tiburón» era Jaws, mandíbulas. ¡Qué miedito!

**whale**
[weɪl]
ballena

**shark**
[ʃɑːk]
tiburón

**penguin**
[ˈpɛŋgwɪn]
pingüino

andar como un pato
to waddle

La tortuga marina se llama turtle.

**dolphin**
[ˈdɒlfɪn]
delfín

**snake**
[sneɪk]
serpiente

una mordedura de serpiente
a snake bite

**tortoise**
[ˈtɔːtəs]
tortuga

169

**ant**
[ænt]
hormiga

*si te pica
una abeja
to get stung
by a bee*

**bee**
[bi:]
abeja

*si te pica un
mosquito
to get bitten
by a mosquito*

**mosquito**
[məsˈki:təʊ]
mosquito

**butterfly**
[ˈbʌtəflaɪ]
mariposa

*Si tienes
mariposas en el
estómago, quiere
decir que estás
nervioso: I have
butterflies in my
stomach.*

**caterpillar**
[ˈkætəpɪlə]
oruga

**millipede**
[ˈmɪlɪpi:d]
ciempiés

**cicada**
[sɪˈkɑːdə]
cigarra

*A propósito, puaj en inglés es yuk (pronunciado [jʌk]) y yukky quiere decir «asqueroso».*

**cockroach**
[ˈkɒkrəʊtʃ]
cucaracha

*su tela se llama spider's web*

**spider**
[ˈspaɪdə]
araña

**fly**
[flaɪ]
mosca

*En los Estados Unidos, se llama ladybug. Y es que bug es otra palabra para aludir a los «insectos».*

**grasshopper**
[ˈgrɑːsˌhɒpə]
saltamontes

**ladybird**
[ˈleɪdɪbɜːd]
mariquita

**sparrow**
['spærəu]
gorrión

*trinar, gorjear*
*to chirp,*
*to cheep*

*arrullar*
*to coo*

**pigeon**
['pɪʤɪn]
paloma

*si es una paloma*
*blanca se dice*
*dove*

*Sus garras se*
*llaman claws.*

**owl**
[aʊl]
búho

**hawk**
[hɔːk]
halcón

*no quitar el ojo de*
*encima a alguien*
*(como hacen con*
*sus presas)*
*to watch someone*
*like a hawk*

*to parrot*
*repetir*
*(como un loro)*

**heron**
['hɛrən]
garza

**parrot**
['pærət]
loro

# Birds

**eagle**
['i:gl]
águila

*un hombre con mirada aguileña*
*an eagle-eyed man*

**stork**
[stɔ:k]
cigüeña

**nightingale**
['naɪtɪŋgeɪl]
ruiseñor

*en plural: ostriches*

**ostrich**
['ɒstrɪtʃ]
avestruz

**swallow**
['swɒləʊ]
golondrina

*Volar se dice to fly y las alas se llaman wings. To take wing es levantar el vuelo.*

*to swallow*
**tragar**

**seagull**
['si:gʌl]
gaviota